Mae'r llyfr hwn yn eiddo i:

____

____

____

I Katherine, gyda diolch am y gwyliau i gyd – a phob dim arall. J. R.

I'm ffrind Sarah, sy'n gwirioni ar y môr. T. B.

Cynan a'r Pwll Bach.
Cyhoeddwyd yn 2022 gan Graffeg Cyf.

Graffeg Cyf., 24 Canolfan Fusnes Parc y Strade, Llanelli, SA14 8YP, Cymru, DU. Ffôn 01554 824000 www.graffeg.com.

Mae cofnod catalog CIP ar gyfer y llyfr hwn ar gael o'r Llyfrgell Brydeinig.

Nodiadau Dysgu: Ceir nodiadau dysgu a thudalennau i'w lliwio sy'n addas i athrawon a rhieni i'w lawrlwytho yn rhad ac am ddim ar: www.graffeg.com/pages/teachers-resources

Mae'r cyhoeddwr yn cydnabod cefnogaeth ariannol Cyngor Llyfrau Cymru. www.gwales.com

ISBN 9781802581904

1 2 3 4 5 6 7 8 9

Cynan a'r Pwll Bach

Julia Rawlinson a Tiphanie Beeke

GRAFFEG bach

Trodd sisial cyfeillgar y goedwig
yn dawelwch y coed pinwydd.
"Ydyn ni bron yna?" gofynnodd Cynan.
"Bron iawn," atebodd Mam.
Trodd y ddaear lawn dail yn dywod
a nodwyddau pinwydd.
"Ydyn ni bron yna?" gofynnodd Cynan eto.
"Bron iawn nawr," atebodd Mam eto.
Trodd y cysgod coediog yn ...

… haul llachar!

"Dyma ni! Wna i godi lloches i ni," meddai Mam.

Syllodd Cynan ar y traeth mawr, ei lygaid fel dwy soser. Roedd popeth yn anferth a gwastad a llachar. Rholiodd i lawr y llethr yn hapus, gan faglu yn y tywod cynnes. Gwichiodd wrth i'r môr oer swsial dros ei draed.

Sblasiodd drwy'r tonnau, simsanu dros gerrig, a dringo dros greigiau nes iddo gyrraedd pwll bach.

Gan orwedd ar ei fol ar y creigiau caled, syllodd Cynan i'r dŵr. Gwelodd wymon pinc a gwyrdd yn swish-swoshian gyda'r llif. Gwelodd wichiaid a llygaid meheryn yn glynu wrth y creigiau. Chwifiai anemoni coch ei dentaclau a gwibiai pysgod pitw bach drwy belydrau'r haul.

Yna, wrth iddo orwedd, gwelodd Cynan rywbeth arall ...

... yn araf bach, roedd y pwll yn mynd yn llai. Roedd y llygaid meheryn yn cynhesu ar y creigiau. Cyn hir, byddai'r anemoni'n sychu yn yr haul.

“Peidiwch â phoeni! Mi wna i achub eich pwll,” llefodd Cynan. Gafaelodd yn ei fwced a dringo dros y creigiau. Rhedodd yn ôl ac arllwys dŵr i’r pwll bach, ond roeddd y llygaid meheryn yn dal yn sych, ac roedd y pwll yn dal yn mynd yn llai.

Rhedodd Cynan dros y
creigiau a llenwi'i fwced.

Aeth yn ôl i'r pwll
gan bwffian.

Erbyn hyn roedd
y llygaid meheryn
allan o'r dŵr.

Rhedodd yn ôl i'r môr,
oedd yn edrych yn
bellach fyth oddi wrtho.

Gwibiodd yn ôl i'r pwll ...

... ond roedd yr anemoni erbyn
hyn wedi dechrau sychu.

“Mae’n anobeithiol,” llefodd Cynan,
gan syllu ar y pwll bach.

“Ar beth wyt ti’n edrych?” crawciodd gwylan wrth hopian tuag ato.
“Mae rhywbeth o’i le ar y pwll. Mae’n gollwng dŵr,” atebodd Cynan.
“Paid â bod yn wirion. Dim ond y llanw yw e,”
crawciodd yr wylan, gan hedfan i ffwrdd.
“Beth bynnag yw llanw, mae’n achosi problem,” meddyliodd Cynan.

Edrychai'r gwichiaid a'r llygaid meheryn yn llwyd a diflas.

Dim ond blobyn oedd yr anemoni.

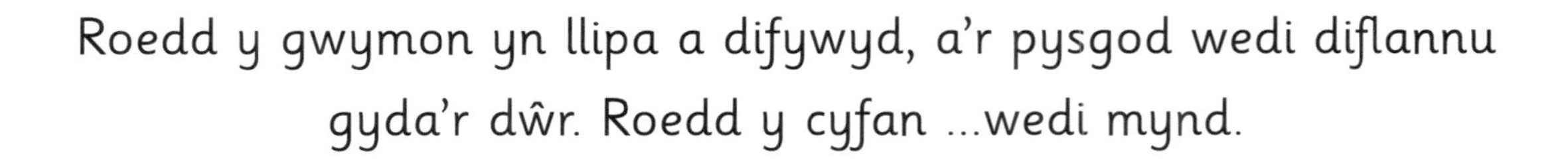

Roedd y gwymon yn llipa a difywyd, a'r pysgod wedi diflannu gyda'r dŵr. Roedd y cyfan ...wedi mynd.

"Mae'n ddrwg gen i am fethu eich achub," sniffiodd Cynan, gan wagu'r diferion olaf o'r bwced. Dyma nhw'n disgleirio am eiliad yn yr heulwen, cyn suddo i'r tywod ...

... a diflannu.

Yn sydyn, gwelodd Cynan rywbeth yn sgathru
dros y tywod. Cranc pitw bach! Rhoddodd
Cynan y cranc yn ei fwced.
"Mi fedra i dy achub di, o leiaf, Cranc Bach,"
meddai, ac aeth i chwilio am ddŵr ...

... ond roedd y môr yn mynd yn bellach
oddi wrtho. Rhedodd Cynan ar ei ôl
a chasglu dŵr a rhai cregyn, er mwyn
gwneud cartref i'r Cranc Bach.

Dyma'r ddau'n chwarae cuddio nes bod mam Cynan yn galw'r ddau i'r lloches.

Erbyn i Cynan swatio'n glyd o dan y sêr, roedd y tywod yn ymestyn draw i'r pellter. Roedd Cynan yn siomedig bod y môr wedi diflannu ar ei ddiwrnod cyntaf ar y traeth, ond o leiaf doedd e ddim wedi colli'i gartref, fel y Cranc Bach.

"Paid â phoeni, mi wna i ofalu amdanat," sibrydodd Cynan, gan roi cwtsh i'r Cranc Bach yn ei wely o wymon, a syrthio i gysgu.

Ond wrth i Cynan gysgu, hwyliodd y lleuad ar draws yr awyr, a dechreuodd y llanw droi. Wrth i Cynan chwyrnu'n dawel mewn breuddwyd, cripiai'r môr yn araf bach i fyny'r traeth

Pan ddeffrodd Cynan,
rhedodd dros y tywod oer,

a dyna lle'r oedd y pwll …

a'r gwymon yn swish-swoshian, yr anemoni'n chwifio a'r pysgod bach yn gwibio drwy belydrau haul y bore.

Plopiodd Cynan Granc Bach yn y dŵr.

"Bydda i'n gweld dy eisiau, Cranc Bach," meddai Cynan, "ond dwi'n falch dy fod wedi cael dy gartref yn ôl." Chwifiodd Cranc Bach ei grafanc pitw i ddweud hwyl fawr.

"A dwi'n falch fod y tonnau wedi dod yn ôl hefyd!" meddai Cynan, gan sblish-sblashio yn y môr disglair.

Fletcher and the Rockpool

Julia Rawlinson & Tiphanie Beeke

Page 6

The friendly whispering of the wood gave way to silent pine trees.

"Are we nearly there?" asked Fletcher.

"Quite nearly," said Mum.

The leafy earth gave way to pine needles and sand.

"Are we nearly there now?" asked Fletcher.

"Very nearly," said Mum.

The cooling shade gave way to…

Page 8

…dazzling sun!

"We're here! I'll make us a camp," said Mum.

Fletcher gazed at the sweep of the beach, his eyes open wide. Everything was so huge, so flat, so bright. He tumbled happily down the slope, slipping in the warm sand, and squealed as the cold sea swooshed over his toes.

Page 9

He splashed through waves, wobbled over pebbles and scrambled over rocks until he came to a pool.

Page 11

Lying on his tummy on the bumpy rocks, Fletcher peered into the water. Pink and green seaweed swished and drifted in tiny, trickling currents. Periwinkles and limpets clung to the rocks, a jelly-red sea anemone waved its tentacles and little fish darted through sunbeams.
Then, as he lay there, Fletcher saw something else…

Page 12

…the pool was slowly shrinking. The limpets were already baking in the sun and soon the sea anemone would be stranded too.

Page 13

"Don't worry! I'll save your pool," cried Fletcher, grabbing his bucket and wobbling over rocks to the sea. He panted back and poured water into the pool, but the limpets stayed stranded and the pool looked smaller still.

Page 14

Fletcher rushed over the rocks and filled up his bucket.

He puffed back to the pool.

Now the periwinkles were stranded.

Page 15

He ran back to the sea, which seemed to be getting further away.

He dashed back to the pool…

…but now the sea anemone was dry.

Page 16

"It's no use," gasped Fletcher, staring at the shrinking pool.

Page 17

"What are you looking at?" squawked a seagull, hopping up beside him.

"There's something wrong with the pool. It's leaking," said Fletcher.

"Don't be silly. It's just the tide," squawked the seagull, flapping away.

"Whatever the tide is," thought Fletcher, "it's leaving my new friends high and dry."

Page 18

The limpets and periwinkles looked dull and grey.

The sea anemone was just a blob.

The seaweed was limp and lifeless.
The fish had vanished with the water.

"I'm sorry I couldn't save you," sniffed Fletcher, emptying the last drops from his bucket. They sparkled for a moment in the sun, soaked into the sand…

Page 19

…and were gone.

Page 20

Suddenly, Fletcher saw something scuttling
and caught a tiny crab in his bucket.

"At least I can save you, Little Crab," he said, and set off to find some water…

…but the sea was disappearing down the beach. Fletcher chased
after it, scooped up some
water and collected shells
to make Little Crab a home.

Page 21

They played hide and seek and catch
until Fletcher's mum
called them back to the camp.

Page 23

By the time Fletcher snuggled down under the stars, the sand stretched far into the distance. It seemed unfair the sea had disappeared on his very first day at the beach, but at least he hadn't lost his home like Little Crab.

"Don't worry, I'll take care of you," whispered Fletcher, tucking Little Crab up in a seaweed blanket and drifting off to sleep.

Page 25

But while Fletcher slept, the moon sailed the sky. The sea felt the pull of the moon and the tide began to turn. As Fletcher snuffled in his dreams, the sea crept slowly up the beach…

Page 26

…and when he woke next morning

and ran down the chilly sand…

…there was the pool…

Page 27

...the seaweed swooshing, the anemone waving and
the fish darting through early morning sunbeams.
Fletcher plopped Little Crab into the water.

"I'll miss you, Little Crab," said Fletcher, "but I'm glad you've got your home back." Little Crab waved a tiny claw in reply.

Page 29

"And I'm glad I've got the waves back, as well," said Fletcher, splashing down to paddle in the dazzling sea.

Geirfa | Vocabulary

Pinwydd	Pine
Tywod	Sand
Haul	Sun
Traeth	Beach
Anferth	Huge
Gwastad	Flat
Llachar	Bright
Cynnes	Warm
Môr	Sea
Oer	Cold
Cerrig	Stones
Bach	Small
Dŵr	Water
Gwymon	Seaweed
Gwichiaid	Periwinkles
Llygaid meheryn	Limpets
Pysgod	Fish
Bwced	Bucket
Gwylan	Seagull
Llanw	Tide
Cranc	Crab

Nodiadau Dysgu: Ceir nodiadau dysgu a thudalennau i'w lliwio sy'n addas i athrawon a rhieni i'w lawrlwytho yn rhad ac am ddim ar: www.graffeg.com/pages/teachers-resources

Pedwar Tymor Cynan

Dewch i rannu swyn y tymhorau yn y llyfrau stori-a-llun hyfryd hyn sy'n sicr o godi calon.

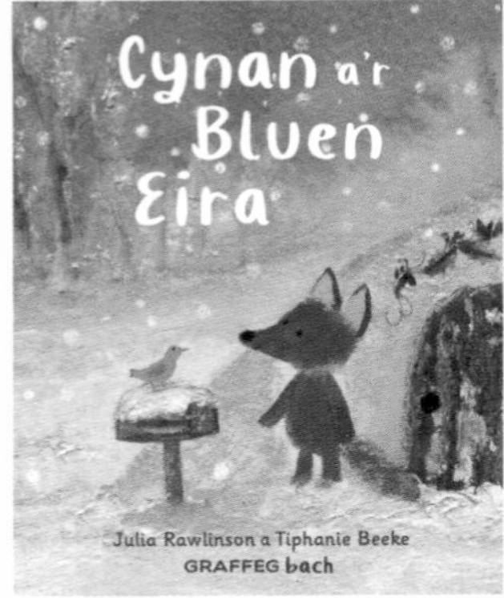

Cyhoeddir llyfrau Cynan gan Graffeg mewn clawr caled, clawr meddal ac e-lyfr yn Gymraeg a Saesneg. Am wybodaeth ar ddyddiadau cyhoeddi ewch i www.graffeg.com

Cyhoeddir llyfrau Cynan yng Nghymru gan Graffeg www.graffeg.com.
Am wybodaeth gwerthiant a dosbarthu cysylltwch â sales@graffeg.com os gwelwch yn dda.